Charlotte, la fée de la chance

Un merci spécial à Kristin Earhart

Pour Sarah. Je suis si chanceuse de t'avoir comme amie.

Catalogage avant publication de Bibliothèque et Archives Canada

Meadows, Daisy
[Lindsay the luck fairy. Français]
Charlotte, la fée de la chance / auteure et illustratrice, Daisy Meadows ; texte français d'Isabelle Montagnier.

(Arc-en-ciel magique)
Traduction de: Lindsay the luck fairy.
ISBN 978-1-4431-3295-4 (broché)

I. Montagnier, Isabelle, traducteur II. Titre. III. Titre: Lindsay the luck fairy. Français IV. Collection: Meadows, Daisy Arc-en-ciel magique

PZ23.M454Cha 2014 j823'.92 C2013-904666-6

Édition publiée par les Éditions Scholastic,
604, rue King Ouest, Toronto (Ontario) M5V 1E1

5 4 3 2 1 Imprimé au Canada 139 14 15 16 17 18

Charlotte, la fée de la chance

Daisy Meadows

Texte français d'Isabelle Montagnier

Éditions
SCHOLASTIC

Le palais
du Royaume
des fées
Le château
La plage
L'auberge

Le château
de glace du
Bonhomme
d'Hiver
Colombe-sur-Mer
L'hôtel
L'hôtel
de ville
Le parc
municipal
Le puits
chanceux
La réserve
naturelle

Face aux pouvoirs des fées, ma magie s'affaiblit.
Elles sont beaucoup trop fortes : je me sens tout petit.
Au cours de nos batailles, je me fais prendre au piège
et suis souvent victime de leurs pires sortilèges.

Mais grâce à mes gnomes, tout va changer
et enfin, la chance va tourner.
Chapeau de lutin, trèfle et pièce d'or,
j'aurai tout ce qu'il faut pour être le plus fort!

Avec les trois objets de la fée de la chance,
mes pouvoirs magiques seront immenses.
Mes sortilèges glacés pourront se déchaîner...
À moi, le Royaume des fées!

Dans les illustrations de ce livre, retrouve les 8 lettres dissimulées dans les trèfles, puis remets-les dans le bon ordre afin de former le nom d'un petit lutin gracieux.

Le tour
du chapeau

Table des matières

— Je suis si contente que tu viennes avec nous, déclare Rachel Vallée à Karine Taillon, sa meilleure amie. C'est toujours plus amusant quand on est ensemble.

— C'est vrai, dit Karine assise à côté d'elle sur la banquette arrière.

Elle prend la main de Rachel et sourit. Les deux fillettes vivent toujours des

aventures extraordinaires!

Cette fois, elles se rendent à Colombe-sur-Mer, un petit village situé à quelques heures de la maison de Rachel. Mme Vallée doit assister à une conférence à l'hôtel de Colombe-sur-Mer durant la fin de semaine. Son mari et les fillettes l'accompagnent pour profiter de l'air de la campagne.

— Vous aurez beaucoup à faire à Colombe-sur-Mer, dit Mme Vallée depuis le siège du passager. Quand j'étais petite, ma famille et moi venions y passer du temps, dans un chalet. Le coin est magnifique.

— Tu n'étais pas aussi enthousiaste quand tu as reçu l'invitation pour le colloque, fait remarquer M. Vallée avec un petit rire. Je t'ai entendu dire que Colombe-sur-Mer était sinistre!

— Ce n'est pas tout à fait ce que j'ai dit, fait remarquer Mme Vallée en souriant.

Elle se tourne vers les fillettes et explique :

— Mes frères, qui étaient beaucoup plus âgés que moi, m'avaient persuadée que les bois étaient peuplés de fées, de gnomes et de lutins. J'étais très jeune et je les ai crus. J'ai toujours eu l'impression que des ombres vertes se cachaient parmi les arbres. C'est ridicule, je sais.

Rachel et Karine ne trouvent pas cela ridicule du tout! Les deux fillettes *savent* que les fées et autres créatures magiques existent vraiment. En fait, elles sont amies avec les fées et elles les ont souvent aidées!

Chaque fois que le Bonhomme d'Hiver et ses méchants gnomes ont des plans diaboliques, le roi et la reine du Royaume des fées demandent l'aide de Rachel et de Karine.

— Pendant que maman sera à la conférence, nous irons explorer le village et ses attractions, dit M. Vallée qui est au volant. Je parie qu'il y a de très belles fleurs sauvages dans les bois aussi.

Karine et Rachel échangent un sourire. M. Vallée est passionné par les fleurs et la nature.

— N'oubliez pas que je suis libre demain,

ajoute Mme Vallée. Et si tout se passe comme prévu, dimanche, je pourrai aller au festival avec vous.

Aujourd'hui, c'est vendredi et dans deux jours, ce sera la fête de la Saint-Patrick. Il y aura un festival au centre du village. Karine et Rachel ont vraiment hâte!

— On dirait qu'on va être bien occupés! s'exclame Karine d'un ton enthousiaste.

— Quand va-t-on arriver? demande Rachel.

— Ma foi, on serait déjà à Colombe-sur-Mer si on n'avait pas fait demi-tour, dit Mme Vallée.

— Ne t'inquiète pas, ma chérie, on arrivera à temps, la rassure M. Vallée.

Rachel se mord la lèvre. La matinée a été semée d'embûches. D'abord sa mère a perdu ses lunettes et ils ont dû retourner à la maison en chercher une autre paire.

Puis ils ont été pris dans un embouteillage et maintenant ils sont très en retard. Quelle malchance!

Dès que l'auto s'arrête dans l'allée circulaire de l'hôtel, Mme Vallée bondit et se précipite à l'intérieur du bâtiment. M. Vallée ouvre le coffre et tend aux deux fillettes leurs sacs de voyage. Puis il saisit l'autre sac que sa femme et lui partagent. Quand il referme le coffre, Rachel croit entrevoir une lueur miroitante.

— As-tu vu ça? murmure Rachel à

Karine.

— Non, répond Karine en tournant la tête de gauche à droite.

Rachel fronce les sourcils.

— Ce n'était sans doute rien.

Elles entrent dans le hall de l'hôtel et remarquent les plafonds hauts ainsi que les rideaux et les tapis rouge foncé.

— Je suis vraiment emballée de rester ici,

dit Karine en écarquillant les yeux. C'est très chic.

— Oui, mais regarde ces traces de pieds sales, dit Rachel en gloussant.

Devant le bureau de la réception, on peut voir des traces de pas boueux.

Avant que Karine ait eu le temps de dire quelque chose, Mme Vallée s'approche des fillettes.

— Je suis désolée. L'hôtel a perdu notre

réservation et il n'y a plus de chambres libres, explique-t-elle en faisant la grimace.

— Nous devrons aller à l'auberge qui se trouve à l'autre bout du village, ajoute M. Vallée.

Rachel réfléchit un instant.

— Mais la conférence a lieu ici! dit-elle

— Je sais, convient Mme Vallée. Nous n'avons vraiment pas de chance!

Tout le monde reprend ses sacs et

retourne à l'auto. Quand M. Vallée ouvre le coffre, Rachel voit de nouveau la lueur.

Karine saisit la main de Rachel.

— Je l'ai vue, moi aussi, chuchote-t-elle en entraînant son amie à l'écart. Rachel, je crois que c'est une fée!

Un éclair glacé

— Oh! J'espère que *c'était bien* une fée! dit Rachel. Mais où est-elle passée?

— Je ne sais pas, répond Karine à voix basse. Nous devons la trouver.

— Les filles, je dois assister à une réunion. Pouvez-vous porter les bagages à l'auberge avec papa? demande Mme Vallée.

Elle les salue de la main et entre dans

l'hôtel.

— Bon, allons-y! lance M. Vallée.

Karine jette un regard complice à Rachel.

— Papa, pourrions-nous marcher jusqu'à l'auberge? J'ai besoin de me dégourdir les jambes, dit cette dernière. Nous sommes restés longtemps dans l'auto!

M. Vallée réfléchit :

— Je suppose que oui. C'est juste de l'autre côté du parc municipal.

Il embrasse Rachel et serre l'épaule de Karine.

— Faites bien attention et restez ensemble!

Il leur donne l'adresse, puis démarre.

Aussitôt qu'il est parti, Rachel et Karine se mettent à chercher la fée.

— Où es-tu! murmure Karine.

— Ici, tout en bas, répond une petite voix cristalline.

Rachel scrute les environs et repère une fée minuscule perchée dans les fougères devant l'hôtel. Il est difficile de l'apercevoir, car elle porte une robe blanche à rayures vertes qui se fond dans la verdure.

— Bonjour, dit Rachel en se baissant. Je m'appelle Rachel et voici Karine.

— Oh! Je suis si contente! s'exclame la fée.

Ses yeux verts sont remplis d'espoir.

— Je vous cherchais, mais une abeille m'a pourchassée et je me suis fait enfermer dans le coffre de votre auto. J'ai joué de malchance toute la journée. La seule bonne chose qui m'est arrivée, c'est de vous avoir trouvées.

Elle tortille nerveusement une mèche de cheveux roux autour d'un de ses doigts et ajoute :

— Je n'ai pas l'habitude d'être malchanceuse.

Je suis Charlotte, la fée de la chance!

— Nous sommes ravies de faire ta connaissance, disent Karine et Rachel à l'unisson.

Se faire une nouvelle amie parmi les fées est toujours amusant!

— C'est merveilleux de vous rencontrer toutes les deux! s'écrie Charlotte en faisant une petite révérence. Vous êtes exactement les personnes que je cherchais. J'ai besoin de votre aide!

— Que se passe-t-il? demande Karine. Comment pouvons-nous t'aider?

— Le Bonhomme d'Hiver fait encore des siennes, explique Charlotte. Cette fois, il a envoyé ses gnomes voler mes trois porte-bonheur : une pièce d'or, un trèfle et un chapeau melon noir avec un ruban vert.

Rachel et Karine froncent les sourcils. Encore un mauvais tour du Bonhomme d'Hiver!

— Mes porte-bonheur contrôlent la chance dans le monde des fées comme dans celui des humains, poursuit Charlotte. Ils garantissent la bonne fortune! Le chapeau apporte la chance dans les sports et les jeux. Le trèfle aide à retrouver des objets perdus et la pièce d'or fait en sorte que les projets se déroulent comme prévu.

— Oh! Maintenant, je sais pourquoi ma mère a perdu ses lunettes! dit Rachel. Cela ne lui ressemble vraiment pas.

— Cela explique aussi pourquoi l'hôtel a perdu notre réservation, ajoute Karine.

— *Et aussi* pourquoi nous avons été bloqués dans un embouteillage qui nous a mis en retard, dit Rachel.

Les fillettes comprennent vite les problèmes auxquels le monde sera confronté si elles n'aident pas Charlotte!

— Le Bonhomme d'Hiver veut contrôler mes porte-bonheur afin de s'emparer de toute la magie du Royaume des fées! conclut Charlotte en enfouissant son visage dans ses mains.

— Ne t'inquiète pas, Charlotte, assure Rachel. Nous allons t'aider. As-tu une idée de l'endroit où tes porte-bonheur pourraient se trouver maintenant?

— J'étais dehors en train d'arroser mon champ de trèfle quand j'ai entendu les gnomes sortir en courant de ma maisonnette.

Soudain, un éclair bleu glacé a entouré les gnomes et ils ont disparu, raconte Charlotte en secouant la tête. Puis j'ai entendu un rire affreux. C'était le Bonhomme d'Hiver! Il m'a adressé un sourire méchant et a déclaré : « Mes gnomes ont tes porte-bonheur, ma chère. Ils sont dans le monde des humains et tu ne les retrouveras pas. Sans eux, tu seras vraiment malchanceuse! » Puis il s'est volatilisé. Il avait raison. Depuis, la malchance me poursuit!

Rachel et Karine échangent un regard triste. Pauvre Charlotte!

— Nous allons t'aider, dit Karine à leur nouvelle amie la fée. Ne t'inquiète pas!

Rachel hoche la tête.

— Crois-tu que tes porte-bonheur sont à proximité? As-tu vu des gnomes? demande-t-elle.

— Je sens que mes porte-bonheur ne sont pas loin, mais je n'ai pas vu un seul gnome,

répond Charlotte en haussant les épaules, l'air maussade. Je ne sais même pas par où commencer.

— Eh bien... explorons le village et laissons la magie venir à nous, suggère Karine.

C'est le conseil que la reine des fées leur a donné lors de leur première aventure et cela a toujours marché!

Charlotte se blottit dans une poche confortable de la veste en laine de Karine et les trois amies se mettent en route.

Le parc municipal de Colombe-sur-Mer est un magnifique espace vert au milieu du village. On y trouve des terrains de jeux et de sport, ainsi que de vastes pelouses pour faire des pique-niques. Un petit pavillon, un puits chanceux et un boisé sont situés à l'autre bout du parc. Cet endroit est d'ordinaire charmant et paisible, mais pas aujourd'hui. En effet, le parc est rempli d'enfants qui se chamaillent.

— Hé! Ce n'est pas juste! s'écrie un garçon qui tient un ballon de basketball.

— Mais oui, c'est juste. Tu n'as pas de chance, c'est tout, proteste un autre garçon, chaussé de souliers de course, qui lui reprend le ballon des mains.

— Tu as triché! crie une petite fille qui joue à la marelle non loin d'eux.

— Ce n'est pas ma faute si ta pierre est tombée là, dit une autre fille, les mains sur les hanches. C'est juste de la malchance.

Karine et Rachel comprennent immédiatement ce qui se passe : comme le

chapeau magique de Charlotte a disparu, la chance dans les jeux et les sports s'est envolée.

— On dirait que beaucoup de gens manquent de chance, dit Rachel, pensive.

— Et personne ne joue franc-jeu, renchérit Karine. Nous devons retrouver le chapeau magique avant que les choses ne se gâtent.

Elles regardent autour d'elles et remarquent un vieux bâtiment imposant qui borde le parc.

— Regarde, c'est l'hôtel de ville de Colombe-sur-Mer, dit Karine en le montrant du doigt. On devrait y aller pour demander

de l'information sur le village. Ça nous aiderait peut-être à trouver les porte-bonheur.

— D'accord, répond Rachel.

Les deux fillettes empruntent une allée pavée pour se rendre jusqu'au bâtiment.

— Les filles, les filles! crie Charlotte depuis la poche de Karine.

Karine entrouvre sa poche délicatement.

— Qu'est-ce qui t'arrive Charlotte? demande-t-elle. Quelque chose ne va pas?

— Avez-vous entendu ces bruits de pas? On aurait dit que quelqu'un nous dépassait, explique la petite fée.

Rachel et Karine secouent la tête.

— Nous n'avons rien vu, dit Rachel.

— Et rien entendu, ajoute Karine.

— *Hum*, c'est étrange, dit Charlotte. Gardez les oreilles et les yeux grands ouverts.

Karine et Rachel acquiescent et se dirigent vers l'hôtel de ville. L'intérieur du bâtiment semble très ancien. Les murs sont en pierre et des vitraux colorés laissent filtrer la lumière. Les fillettes se trouvent dans une grande salle au plafond voûté, remplie de longs bancs en bois. Il y a aussi une estrade.

— Ce doit être ici que les assemblées

générales du village ont lieu, dit Rachel. Cette salle peut accueillir beaucoup de gens.

— Mais elle est vide, maintenant, ajoute Karine en regardant autour d'elle.

— Ohé! Y a-t-il quelqu'un? s'écrie-t-elle.

Ses paroles résonnent sous le plafond élevé.

— S'il n'y a personne, je vais sortir prendre l'air, dit Charlotte.

Elle s'envole de la poche de Karine, décrit des arabesques dans les airs, puis se pose sur une grande statue verdâtre.

— Hé! Regarde, dit Rachel. On dirait un lutin.

— C'en est un, confirme Karine en lisant la plaque. Il s'appelle Colin. C'est le lutin de Colombe-sur-Mer.

— Est-ce un chapeau melon qu'il a sur la tête, Charlotte? demande Rachel.

La statue porte un chapeau de forme bombée à bord retourné, orné d'un large ruban.

— Oui! s'écrie

Charlotte. Il ressemble beaucoup à mon porte-bonheur.

Elle soupire, puis regarde autour d'elle, l'air effrayé.

— Avez-vous entendu ça? murmure-t-elle.

— Non, répond Rachel.

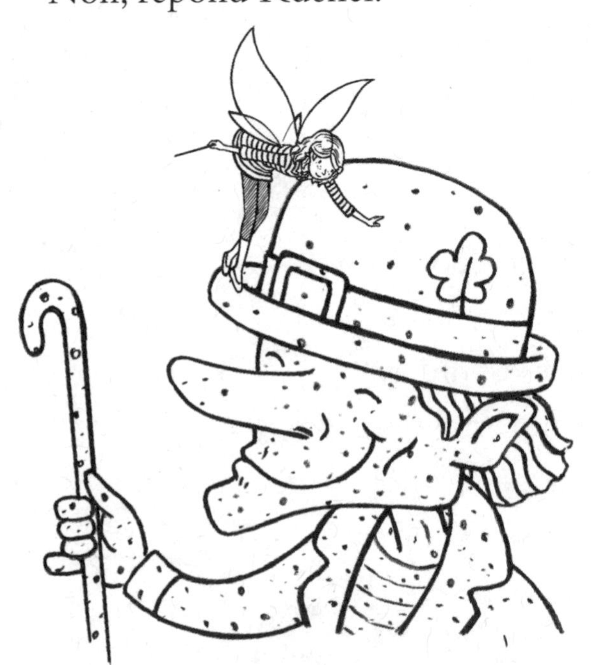

— On aurait dit un rire, assure Charlotte en voletant pour se poser sur l'épaule de Rachel. J'en suis sûre. Il y a quelqu'un tout près.

Les fillettes échangent un regard : Charlotte entendrait-elle des voix?

Des traces à suivre

— Nous te croyons, Charlotte, dit Rachel. Mais je me demande pourquoi tu entends le rire et pas nous.

— Je ne sais pas, répond Charlotte en regardant aux alentours, perplexe.

— Eh bien, cherchons. Nous découvrirons peut-être d'où vient ce rire, suggère Karine.

Elle sait qu'elles ont toutes la même idée

en tête : c'est probablement un gnome. Ces horribles créatures ricanent tout le temps!

Les fillettes commencent à explorer la grande salle. Elles trouvent des brochures sur les attractions du village qu'elles prennent pour les parents de Rachel. Puis les trois amies se séparent pour regarder dans les couloirs et les autres pièces moins vastes de l'hôtel de ville.

— Rachel! Charlotte! Venez vite! J'ai trouvé quelque chose! s'écrie Karine.

Rachel arrive en courant. Karine est penchée en avant et examine quelque chose près de la porte d'entrée.

— Des traces de pas! s'exclame Rachel. Tout comme à l'hôtel.

— Ce sont peut-être celles d'un gnome, pense Charlotte à voix haute. Et ce gnome a peut-être mon chapeau chanceux! Dépêchons-nous!

Les fillettes suivent la piste boueuse qui les mène hors du bâtiment et sur le trottoir. Elles regardent devant elles pour savoir qui aurait pu faire ces empreintes. Puis soudainement, les traces de pas disparaissent.

— C'est curieux, dit Karine. Les traces de pas s'arrêtent ici. On dirait de la magie.

Les trois amies scrutent le trottoir et le parc. Mais elles ne voient personne qui aurait pu faire ces traces, seulement un bon nombre d'enfants déçus qui essaient tant bien que mal de jouer et de faire du sport.

— Je suis vraiment désolée pour eux, dit Charlotte en se couvrant les yeux des mains. Je ne peux même pas regarder. Ça me rend trop triste.

— Alors regarde cette équipe de soccer là-bas, dit Rachel. Les joueurs se débrouillent très bien et semblent

avoir de la chance aussi.

Rachel admire les joueurs pendant une minute, puis elle se rend compte de quelque chose.

— Attends un peu… commence-t-elle à dire.

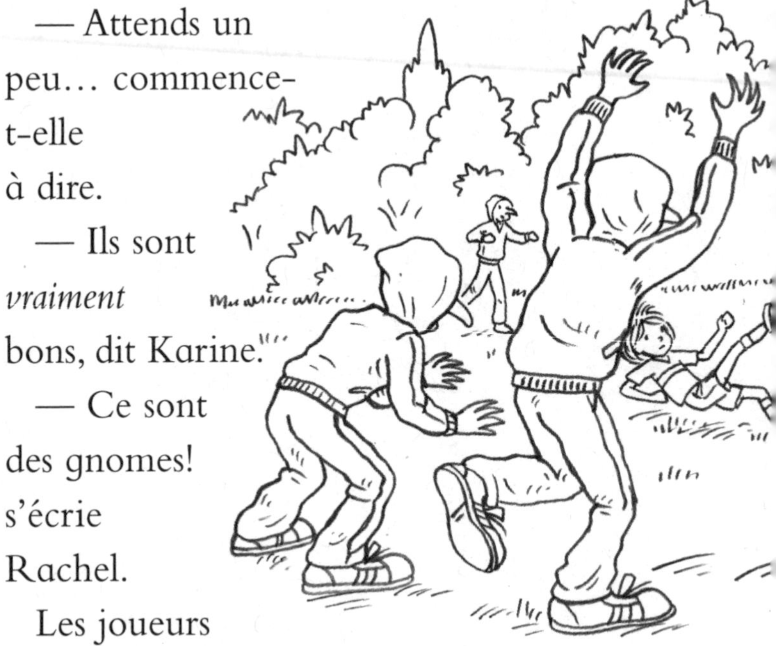

— Ils sont *vraiment* bons, dit Karine.

— Ce sont des gnomes! s'écrie Rachel.

Les joueurs portent des vêtements d'entraînement et de grands souliers de course. Ils ont relevé leurs capuches, mais leurs longs nez et leurs mains vertes dépassent et les trahissent.

— S'ils jouent si bien que ça, alors ils *doivent* avoir mon chapeau chanceux, déclare Charlotte.

Les trois amies observent la partie de soccer plus attentivement.

Une fille de l'autre équipe donne un grand coup de pied dans le ballon, qui se dirige droit vers le but. Mais au dernier moment, le ballon semble dévier et manque le filet. Quelle malchance incroyable! Le gardien de but court

chercher le ballon et ricane.

— C'est un gnome aussi, dit Karine.

— Et il porte mon chapeau chanceux sous sa capuche! s'écrie Charlotte.

— Nous devons aller le récupérer! lance Rachel en traversant la pelouse à toute allure.

Elle dévale la colline, mais elle trébuche, culbute et se met à rouler de plus en plus vite.

Enfin, elle parvient à s'arrêter en bas de la pente. Charlotte et Karine s'empressent de la retrouver, mais Karine se prend les pieds dans ses lacets et tombe sur Rachel.

— Aïe! gémit Karine. Ça va, Rachel?

— Je pense que oui, répond son amie.

Les deux fillettes se relèvent.

— Je suis désolée, les filles, dit Charlotte. Encore de la malchance.

Karine soupire.

— Et nous ne jouions même pas!

— Mais si, lance une voix bourrue depuis le terrain de soccer.

Elle appartient au gnome coiffé du chapeau magique de Charlotte.

— Ce jeu s'appelle « Gardez vos distances » et la seule règle, c'est de ne pas vous approcher du chapeau. Vous êtes si malchanceuses que vous ne le récupérerez jamais!

Quelle malchance!

Tous les gnomes en vêtements de sport se mettent à rire. Le grand gnome soulève le chapeau chanceux et le lance dans les airs. Karine étouffe un petit cri et se demande où il va atterrir. Le chapeau tourbillonne et arrive magiquement dans les mains d'un autre gnome!

— Venez donc le chercher! crie le gnome.

Il agite le chapeau au-dessus de sa tête et se rue vers le bois. Les autres gnomes se dépêchent de le suivre.

— Hé! Ce n'est pas juste! s'exclame Karine. Nous n'étions pas prêtes!

— Prêtes ou pas, c'est peut-être notre seule chance, dit Charlotte en s'élançant à la poursuite des gnomes.

Rachel et Karine les pourchassent aussi, mais Karine doit bien vite s'arrêter.

— Continuez, dit-elle. Je dois *encore* attacher mes lacets!

Karine se dit que ce doit être à cause de la malchance qui s'acharne sur elles.

Rachel se retourne vers son amie et *bang!* elle fonce la tête la première dans un énorme arbre.

— Aïe! Quelle déveine! grommelle-t-elle.

Étourdie, elle inspire profondément, secoue la tête et se remet à courir.

Karine la rattrape bientôt et les deux fillettes suivent le rire méchant des gnomes.

— Il y a un ruisseau, fait remarquer Rachel. Sautons par-dessus.

Elle prend son élan et bondit par-dessus le ruisseau. Karine s'apprête à faire de même, mais elle trébuche. Elle atterrit dans l'endroit le plus boueux du ruisseau et éclabousse Rachel d'eau sale.

— Nous sommes trempées! s'écrie-t-elle.

— Il faut continuer, insiste Rachel. Les gnomes sont devant nous.

Peu après, les fillettes arrivent dans une clairière. Elles se cachent derrière un arbre pour ne pas être vues. Les gnomes courent dans tous les sens en se passant le chapeau chanceux. Ils le rattrapent facilement à chaque fois.

Un gnome fait même des saut périlleux entre ses lancers.

— Je suis le meilleur, regardez-moi! hurle-t-il.

Il lance le chapeau en l'air et fait la roue avant de le rattraper.

À ce moment-là, Charlotte rejoint les fillettes. Elle se pose sur l'épaule de Karine, l'air découragé.

— Je ne me suis jamais sentie aussi malchanceuse, dit-elle. Ils ne feront jamais tomber le chapeau.

— Mais si, dit Karine. Ce gnome est chanceux parce qu'il est près du chapeau magique, n'est-ce pas?

— C'est vrai, répond Charlotte.

— Alors, j'ai une idée, dit Karine. Elle chuchote son plan à Rachel et à Charlotte.

— Ça pourrait marcher, ajoute Charlotte en battant des ailes avec espoir.

Elle transforme Rachel en fée. Karine

attend que ses deux amies soient haut dans les airs. Puis elle s'approche du gnome vantard.

— Tu es vraiment très bon, lui dit-elle avec un grand sourire.

— Oh oui, dit le gnome. Je suis le meilleur.

Karine fait semblant de réfléchir.

— Je me demande si tu es assez bon pour faire un saut périlleux et deux roues

avant que le chapeau ne retombe, dit-elle en haussant les sourcils.

— Je suis sûr que oui, fanfaronne le gnome.

— Il faudrait que tu lances ton chapeau très haut, dit Karine.

Tous les autres gnomes sont d'avis que leur ami en est capable.

— J'aimerais bien voir ça, dit Karine en levant les yeux pour s'assurer que Rachel et Charlotte volent encore au-dessus d'elle.

— Regarde donc, dit le gnome. Tu es prête?

Il lance le chapeau chanceux haut dans les airs. Les gnomes l'acclament tandis qu'il fait un saut périlleux et deux roues parfaites.

Pendant que les gnomes regardent les acrobaties de leur ami, Rachel et Charlotte foncent et attrapent le chapeau au vol. Charlotte le rapetisse immédiatement et le met sur sa tête.

— Hourra! s'exclame-t-elle en faisant un gros câlin à Rachel. Dis merci à Karine de ma part. J'aimerais rapporter tout de suite le chapeau au Royaume des fées.

En bas, les gnomes attendent toujours

que le chapeau retombe.

— Qu'est-il arrivé? demande le gnome qui vient de finir ses roues. Où est passé le chapeau?

— Tu l'as lancé trop haut, se plaignent les autres gnomes. Pourquoi a-t-il fallu que tu fasses le malin?

Pendant que les gnomes se disputent, Karine s'éclipse. Elle retrouve Rachel dans le bois. Charlotte lui a déjà redonné sa

taille humaine. Ravies, les deux amies se tapent dans la main.

— Nous avons retrouvé le premier porte-bonheur, dit Rachel. Il en reste encore deux.

— Et nous avons deux jours, ajoute Karine en souriant. J'ai l'impression que notre chance commence à tourner!

Le retour de la chance!

Table des matières

Un château classique

— Nous y sommes enfin! annonce M. Vallée. J'ai cru que nous n'arriverions jamais.

Il stationne l'auto sur un petit terrain de stationnement en gravier.

— Oui, nous étions un peu perdus, mais nous nous sommes retrouvés, dit Mme Vallée, d'un ton soulagé.

Sur la banquette arrière, Rachel Vallée sourit à sa meilleure amie, Karine Taillon. Elles savent exactement pourquoi ils sont en retard : tout le monde a perdu quelque chose ce matin. Puis, ils se sont trompés de chemin en allant au château. Mais Rachel et Karine en connaissent la raison.

— Je suis contente que tu aies la journée de libre, maman, dit Rachel en détachant sa ceinture de sécurité.

— Nous allons bien nous amuser, acquiesce Karine. J'ai vraiment hâte de faire ce pique-nique.

M. et Mme Vallée ont préparé des sandwichs et des desserts pour l'excursion. Les fillettes sont impatientes de manger les carrés au

chocolat qui sont au fond du panier de pique-nique! Il n'y a qu'une seule chose qui les emballe plus que ces carrés délicieux : les fées!

Rachel et Karine vivent une autre aventure féerique. Elles ont déjà trouvé l'un des porte-bonheur de Charlotte, la fée de la chance. Maintenant, la chance est de nouveau au rendez-vous dans les jeux et les sports! Mais Charlotte a encore besoin de leur aide : il lui manque toujours deux porte-bonheur. L'un d'entre eux, le trèfle, contrôle la chance de trouver (ou de perdre) des choses.

Depuis qu'il a disparu, les gens ne cessent de perdre des objets. C'est pour cette raison que M. et Mme Vallée n'arrivaient pas à trouver le château ce matin. Ils avaient perdu leur chemin! Tout va vraiment très mal.

Karine et Rachel espèrent qu'elles retrouveront l'un des porte-bonheur de Charlotte aujourd'hui.

— Je suis très contente d'être ici, moi aussi, dit Mme Vallée en descendant de l'auto. Je crois que c'est le parc où je jouais avec mes frères et mes cousins il y a bien longtemps. Je me souviens du château et

des bois. Et de la plage balayée par le vent.

Karine pousse un petit cri d'admiration à la vue du château. Il a de hauts murs en pierre blanche et un pont-levis en bois. Un drapeau coloré flotte sur une tour surmontée d'un clocher. Le château semble sorti tout droit d'un livre.

— J'ai hâte d'aller l'explorer. Et toi? demande Rachel à sa meilleure amie. On dirait l'endroit parfait pour retrouver l'un des porte-bonheur de Charlotte.

— Mais le château est gigantesque. Comment pourrons-nous le retrouver?

dit Karine, perplexe.

— Peut-être que la magie viendra à nous, répond Rachel.

M. Vallée prend une grande bouffée d'air marin et se dirige vers sa femme.

— Alors, c'est là que tu t'es perdue et que tu as vu un lutin vert quand tu étais petite, hein? lance-t-il avec un rire amusé. Est-ce qu'il t'espionnait?

Mme Vallée secoue la tête.

— Je ne crois pas qu'il m'espionnait. Je pense qu'il... oh! oublie ça. C'était il y a très longtemps, dit-elle en repoussant ses cheveux noirs derrière son oreille. Et nous savons tous que les lutins n'existent pas.

— Ne t'inquiète pas, je te protégerai, dit M. Vallée en entourant de ses bras les épaules de sa femme.

Rachel et Karine échangent un regard. Elles savent que le père de Rachel plaisante,

mais Mme Vallée semblait sérieuse.

— Est-ce possible? Ta mère aurait-elle déjà vu un vrai lutin? murmure Karine.

— Je ne sais pas, c'est un peu mystérieux, dit Rachel. Nous devrons être sur nos gardes.

— Sur vos gardes? Pourquoi? demande une toute petite voix.

Les fillettes regardent aux alentours et aperçoivent Charlotte, la fée de la chance, voleter derrière elles!

— Oh Charlotte! C'est super que tu sois là! s'exclame Rachel.

Puis elle ajoute d'une voix moins forte :

— Mais il ne faut absolument pas que quelqu'un te voie!

— Tu peux te cacher dans mon sac à dos, suggère Karine. Dès que les parents de Rachel seront partis, nous te raconterons tout.

Jolis jardins

— N'oubliez pas, on se retrouve sur la plage dans deux heures, lance Mme Vallée.

— Nous n'oublierons pas, promet Rachel en saluant ses parents de la main. Bonne promenade! Ne vous perdez pas!

Elle regrette aussitôt d'avoir fait cette blague. Comme le trèfle chanceux a disparu, tout peut arriver!

Karine agite la main elle aussi.

— Nous n'avons pas de temps à perdre, dit-elle à Rachel.

Pendant que les parents de Rachel partent à la recherche de fleurs sauvages, Karine et Rachel partent à la recherche des porte-bonheur de Charlotte.

Karine ouvre la fermeture à glissière de son sac à dos et Charlotte en sort à tire-d'ailes.

— Par où nous-devrions commencer? Aurais-tu une idée? demande Rachel à leur amie la fée.

— *Hum*, dit Charlotte qui se met alors à penser tout haut. L'un des porte-bonheur est proche. Je le sens.

— On dirait que nous sommes les seules dans le parc pour le moment, fait remarquer Karine.

— Je vais tout de même me cacher sur l'épaule de Rachel, au cas où quelqu'un viendrait, dit Charlotte.

Karine frissonne en traversant le pont-levis. Le vent fouette ses cheveux.

Elles entrent dans le château et achètent

des billets à l'une des gardiennes qui leur donne un plan des jardins.

Rachel le déplie.

— Ce château est vraiment grand, dit-elle.

— On pourrait commencer à chercher dans les jardins, suggère Karine.

— Bonne idée, murmure Charlotte. Et n'oubliez pas de garder l'œil ouvert, au cas où un gnome serait dans les parages. Leur présence garantira que nous sommes sur la bonne voie.

Les fillettes traversent la cour pavée et entrent dans les jardins colorés. Il y a des rangées de tulipes jaunes et rouges et des touffes d'iris bleu foncé. Au-delà des parterres de fleurs se trouvent une pelouse verdoyante et une forêt de grands arbres.

— Allons faire le tour de la pelouse, propose Charlotte.

— D'accord, répondent Karine et Rachel en haussant les épaules.

Il va être difficile de trouver quelque chose de si petit dans un endroit aussi grand.

— Tu n'aurais pas une formule magique qui nous aiderait à partir dans la bonne direction? demande Rachel à la petite fée.

— Malheureusement non, dit Charlotte. La magie du Bonhomme d'Hiver cache les porte-bonheur et elle est très puissante.

Oh! Je viens d'avoir une idée : je pourrais jeter un sort pour faire briller le trèfle. Ce serait plus facile de le repérer.

Charlotte sourit, contente d'elle. Mais son sourire s'efface rapidement.

— Qu'est-ce qui ne va pas? demande Karine.

— J'ai perdu ma baguette! s'exclame Charlotte en regardant tout autour d'elle.

Elle s'envole de l'épaule de Rachel et scrute le sol.

— Je ne peux pas faire de magie sans ma baguette.

— Quand l'avais-tu pour la dernière fois? demande Rachel.

Charlotte écarquille les yeux.

— Je n'en suis pas sûre. Elle a dû tomber de ma main.

Rachel et Karine se mettent à quatre pattes et commencent à chercher. Mais une baguette de fée est encore plus petite qu'un porte-bonheur magique! Au moins, les porte-bonheur sont devenus plus grands quand ils sont arrivés dans le monde des humains.

— Oh, c'est inutile. La malchance s'abat sur moi, encore une fois, marmonne Charlotte. C'est plus important de retrouver les porte-bonheur de toute façon. Je peux me procurer une autre baguette au Royaume des fées, mais le trèfle chanceux et la pièce d'or sont uniques au monde.

— Alors, remettons-nous au travail. On trouvera peut-être ta baguette aussi, dit Karine.

Rachel reste muette. Elle a l'impression que quelqu'un l'observe. Elle se retourne et voit une ombre verte sur un tronc d'arbre.

— Karine, Charlotte, je crois que quelqu'un nous observe... Dans les arbres. C'est peut-être un gnome.

Charlotte et Karine lèvent lentement la tête vers les arbres. Elles voient l'ombre d'une petite silhouette coiffée d'un chapeau.

— Je vois une ombre moi aussi, murmure Karine. On dirait qu'il n'y en a qu'une.

— Ce n'est peut-être pas un gnome, dit Charlotte à voix basse. C'est peut-être un lutin!

Folle poursuite

Un lutin! Rachel et Karine regardent de nouveau l'ombre.

— On dirait qu'il porte un chapeau melon semblable à celui de la statue de l'hôtel de ville, chuchote Rachel.

Mais elles n'ont entrevu qu'une silhouette. Elles n'ont vu ni le visage ni les vêtements du lutin.

— On pourrait le suivre, suggère Charlotte.

— Je croyais que tous les lutins jouaient de mauvais tours, dit Karine. J'ai entendu dire qu'ils volaient la chance des gens.

— J'ai entendu dire ça moi aussi, renchérit Rachel.

— C'est sans doute juste une vieille légende. C'est impossible que *tous* les lutins soient malfaisants, dit Charlotte. De toute façon, j'ai déjà perdu toute ma chance.

— Regardez! Il s'en va, fait remarquer Rachel en montrant le bois.

Les fillettes et Charlotte commencent à suivre la silhouette du lutin. Tout d'abord,

elles avancent lentement en espérant qu'il ne s'en rendra pas compte.

— Hé! regardez! crie une voix bourrue. Il y a quelqu'un dans les bois!

Les fillettes se retournent et voient un groupe de garçons se précipiter vers elles. Ils portent tous des jeans et des tee-shirts rayés avec des casquettes qui dissimulent leur visage.

— Attrapez ce gars! s'exclame l'un d'eux.

Les fillettes comprennent alors que les garçons pourchassent l'ombre dans le bois...

et qu'il s'agit des gnomes!

— C'est le gars au chapeau noir et aux drôles de souliers! crie un troisième gnome. Celui qui a volé nos porte-bonheur!

— *Leurs* porte-bonheur? s'étonnent Rachel et Karine.

— Ce sont *mes* porte-bonheur, dit Charlotte en tapant de son pied minuscule sur l'épaule de Rachel.

— On dirait que quelqu'un a pris les porte-bonheur aux gnomes, dit Karine. Et les gnomes pensent que c'est la personne dans le bois!

— Nous devons l'attraper! insiste Rachel.

Les fillettes courent dans le bois. Les feuilles mortes craquent sous leurs pieds. Elles se penchent pour éviter des branches basses. Charlotte reste perchée sur l'épaule de Rachel et s'accroche au col de son manteau pour ne pas tomber. Les fillettes poursuivent les gnomes et l'ombre pendant quelque temps.

— Si seulement j'avais ma baguette, dit Charlotte, je pourrais vous transformer en fées. Vous iriez bien plus vite en volant.

C'est vrai. L'ombre est rapide, trop rapide pour que les fillettes réussissent à la rattraper. Elles la voient sauter par-dessus un vieux tronc d'arbre abattu, loin devant elles.

La silhouette se retourne et met ses mains de chaque côté de sa tête pour leur faire une grimace, mais elle est trop loin et Karine et Rachel n'arrivent pas à distinguer son visage!

— Je crois que ce bonhomme vient de nous tirer la langue, dit Karine en haletant.

Rachel éclate de rire.

— C'est plutôt drôle, dit-elle.

Les gnomes, eux, ne trouvent pas ça drôle du tout. Ils crient et courent encore plus vite.

— Il est trop loin devant, dit Karine à bout de souffle.

— Arrêtons-nous un instant, suggère Rachel.

En arrivant au tronc d'arbre, elles s'arrêtent et s'assoient. Charlotte volette et s'assoit sur le genou de Rachel.

— Eh bien, au moins nous savons que les gnomes n'ont pas mes porte-bonheur, dit Charlotte.

— Crois-tu que c'est ce bonhomme qui les a? Et crois-tu qu'il sait que ce sont des porte-bonheur? demande Karine.

— Je n'en suis pas sûre, répond Charlotte.

Les fillettes et la fée restent assises

tranquillement et reprennent leur souffle.

Un rouge-gorge se pose sur le sol près d'elles. Il pépie et picore l'herbe. Puis il lève la tête et regarde Rachel, Karine et Charlotte en gazouillant de plus belle.

— Bonjour, joli oiseau, dit Karine.

Le rouge-gorge gazouille et picore l'herbe de nouveau.

— Hé! Qu'est-ce que c'est? dit Karine.

Elle se baisse pour ramasser un morceau de papier près du bec de l'oiseau. Elle le déplie soigneusement.

— Il y a quelque chose d'écrit dessus! s'exclame Rachel. On dirait un poème.

— Ou, ajoute Charlotte d'un air songeur, un indice!

Le papier est de la taille d'une carte postale. Il est rigide et jauni par le temps. Karine le tient dans ses mains de façon à ce que Rachel et Charlotte puissent le voir aussi.

— L'écriture est élégante et semble ancienne, dit Rachel.

— Charlotte, qu'est-ce qui te fait croire que

ce papier est un indice? demande Karine.

— Le lutin s'est arrêté près de ce tronc, n'est-ce pas? répond la fée. Il l'a peut-être fait tomber.

— Ce papier mène peut-être aux porte-bonheur, dit Rachel.

Karine hoche la tête.

— Nous ne savons même pas si c'est vraiment un lutin, rappelle-t-elle à ses amies. Mais voyons ce qui est écrit sur le papier.

Elle commence à lire :

Laissez la lumière de l'amitié vous guider,
et le pouvoir de l'amour vous réconforter.
Quand la chance des Irlandais semblera vous
abandonner, écoutez les cloches sonner
et laissez l'espoir rayonner.

— C'est si joli, dit Rachel en soupirant.

— J'aime bien ce poème, admet Karine, mais il ne ressemble pas à un indice. Il ne parle ni de trèfle, ni de pièce d'or.

— Ça valait la peine d'essayer, dit Charlotte.

— Je vais le garder, en cas de besoin, dit Karine en pliant le papier et en le glissant dans sa poche.

Charlotte soupire.

— Je croyais que la chance nous souriait enfin. Qu'allons-nous faire maintenant?

— Regardons la carte, suggère Rachel. Elle nous aidera peut-être à deviner où les gnomes et le lutin sont allés.

Rachel glisse la main dans l'une de ses poches arrière, puis dans l'autre.

— Oh non, je l'ai perdue!

— Encore la malchance, dit Charlotte.

— Nous n'avons pas besoin de la carte, dit Karine à ses amies en essayant de voir les choses du bon côté. Retournons au château. Écoutons attentivement, nous entendrons sûrement les gnomes et nous pourrons suivre leurs voix.

— Et ils nous mèneront peut-être jusqu'au lutin, déclare Rachel.

Charlotte se perche de nouveau sur l'épaule de Rachel. Les deux fillettes entrent dans la cour du château. Elles entendent immédiatement des cris qui résonnent sur les murs en pierre.

— J'imagine qu'il s'agit des gnomes, dit Karine avec enthousiasme.

— Mais ils semblent être loin, répond Rachel. Attendez, j'ai une idée!

Elle se dirige vers l'un des gardiens du château.

— Pardon, monsieur. Nous avons perdu notre groupe. Avez-vous entendu des gens appeler? Ils nous appellent peut-être.

— Oui, mademoiselle, dit le gardien. Ils sont plutôt bruyants. On dirait qu'ils sont en bas, dans les oubliettes.

— Merci beaucoup! dit Rachel.

Le gardien leur explique comment s'y rendre, et Rachel et Karine se mettent en route. Un large escalier en colimaçon illuminé par des torches mène

aux oubliettes.

Alors qu'elles descendent les marches, les trois amies entendent les gnomes crier de plus en plus fort. Elles sont presque arrivées en bas quand des bruits de pas retentissent. Puis un éclair surgit de l'ombre et une silhouette passe en trombe à côté des fillettes. Elles poussent une exclamation étouffée.

— Penses-tu que c'était le lutin? demande Karine, estomaquée.

À ce moment-là, la bande de gnomes remonte précipitamment l'escalier.

— Ça devait être lui, dit Rachel.

Elle lui emboîte le pas, mais Karine la saisit par le bras.

— Écoute, insiste-t-elle.

— Quoi? demande Rachel. Tout ce que j'entends, ce sont les cris des gnomes... et des carillons.

— Oui, dit Karine d'un ton animé. Des carillons!

Une chanson douce remplit l'air. On dirait de nombreuses cloches qui sonnent toutes en même temps.

— Ça me rappelle quelque chose, dit Charlotte d'un ton penseur en sortant des cheveux de Rachel.

— Je crois que le poème nous donnait vraiment un indice! s'exclame Karine.

Elle met la main dans sa poche arrière, mais elle n'y trouve rien.

— Oh non! J'ai perdu le papier! C'est bien ma chance!

— Je me souviens des derniers mots, dit Charlotte. *Écoutez les cloches sonner et laissez l'espoir rayonner.*

— C'est ça! s'écrie Karine. Les cloches! Il s'agit du carillon en haut de la tour!

— Allons-y! lance Rachel.

Les fillettes font demi-tour et commencent à gravir l'escalier, deux marches à la fois.

Un poème charmant

Les cloches continuent de sonner et leur carillon résonne dans l'air.

— Tu penses vraiment que le poème contenait un indice? dit Rachel, le souffle court.

— Je l'espère! répond Karine. Nous devons bientôt rejoindre nos parents et nous n'avons pas d'autres idées!

Charlotte est trop excitée pour rester sur l'épaule de Rachel. Les doigts croisés, elle volette entre les fillettes qui gravissent les marches de la tour à toute allure.

— Cette tour est vraiment haute, dit Rachel.

Le soleil éclaire le haut de l'escalier.

— Et quel vacarme! ajoute-t-elle en se couvrant les oreilles.

— C'est pour ça que c'est une excellente cachette, s'écrie Karine.

Elles s'arrêtent sur le palier qui comporte quatre ouvertures. Celles-ci donnent sur le jardin, les bois, la cour et l'océan.

— Oh! C'est magnifique! s'exclame

Rachel en regardant les vagues s'écraser sur la plage sablonneuse.

— Tout à fait! s'écrie Charlotte.

Puis elle pousse un petit cri et montre le plafond du doigt.

— Regardez! Mon trèfle chanceux est là-haut!

Karine et Rachel lèvent la tête et voient le trèfle attaché par un ruban vert scintillant au battant d'une énorme cloche

en cuivre. Comme par magie, toutes les cloches arrêtent de sonner à ce moment précis.

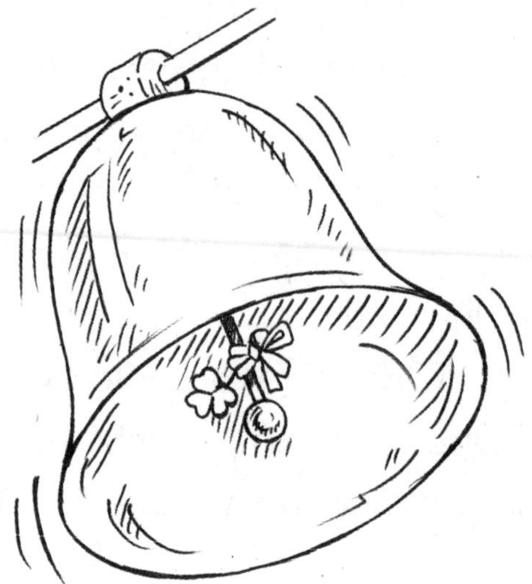

— Hourra! s'écrie Charlotte en volant pour reprendre son porte-bonheur.

Elle papillonne dans les airs en tirant de toutes ses forces sur le ruban qui retient le trèfle.

— Le nœud est trop serré, gronde la petite fée. Je ne peux pas le défaire.

Le problème est de taille. La cloche est hors de la portée de Karine et de Rachel.

— Sans ma baguette, je ne peux rien faire, soupire Charlotte. Je pensais qu'en retrouvant le trèfle, tous mes problèmes

seraient
résolus.
Mais ma baguette
n'a pas réapparu.

Karine et Rachel échangent un regard.
Que faire?

— J'ai peut-être quelque chose dans
mon sac à dos qui pourrait nous aider, dit
Karine, sans trop d'espoir.

Elle se souvient d'avoir sorti son
nécessaire d'artiste avant le pique-nique.
Rachel observe son amie qui fouille toutes
les poches de son sac, puis le sac lui-même

dans lequel se trouvait un chandail.
Charlotte s'y était cachée un peu plus tôt.
Karine sort le chandail.

— Charlotte, c'est ta baguette! s'écrie Karine, enchantée.

Elle tient la minuscule baguette entre son pouce et son index.

— Oh! Quelle chance! dit Charlotte en décrivant une boucle dans les airs.

La fée ravie prend la baguette et la fait tournoyer en direction de la cloche. Le ruban vert se défait immédiatement. Le trèfle chanceux voltige doucement. Il atterrit dans les bras de Charlotte et reprend sa taille du Royaume des fées.

— Je déteste perdre des choses, dit Charlotte avec un grand sourire. Merci mille fois de m'avoir aidée à retrouver mon trèfle! Le roi Obéron et la reine Titania seront soulagés. Maintenant, la chance sourira aux fées et aux gens et ils cesseront de perdre constamment des choses.

— Et s'ils en perdent quand même, ajoute Rachel, ils auront plus de chances de les retrouver!

Les trois amies éclatent de rire.

Rachel regarde par la fenêtre de la tour.

— Karine, je vois mes parents! Ils se

dirigent vers la plage. Nous devons nous dépêcher.

— Et moi, je dois me dépêcher de retourner au Royaume des fées, dit Charlotte. Je veux annoncer la bonne nouvelle à tout le monde. Mais je serai de retour. Il nous reste encore un porte-bonheur à trouver!

Le visage couvert de taches de rousseur de Charlotte est soudain entouré d'un

nuage d'étincelles en forme de trèfle. Quand le tourbillon se dissipe, la petite fée a disparu.

— Quelle aventure merveilleuse! dit Karine tandis qu'elles descendent l'escalier. Une gentille amie-fée, un poème contenant un indice et peut-être un lutin espiègle.

— Et maintenant, nous allons faire un

pique-nique! renchérit Rachel.

— Avec des carrés au chocolat pour le dessert! rappelle Karine.

— Je ne peux pas imaginer une journée plus magique! déclare Rachel.

Karine sourit à sa meilleure amie.

— Ma foi, il y a encore demain!

Le puits
chanceux

Table des matières

Un drôle de déjeuner

Le lendemain matin, quand Rachel Vallée et Karine Taillon se réveillent, elles entendent le murmure d'un ruisseau. Elles restent à l'auberge La chance des Irlandais. Leur chambre donne sur le parc municipal de Colombe-sur-Mer. Un ruisseau limpide serpente à travers les bois et les pelouses.

— Je suis contente que ma mère nous ait

demandé de l'accompagner, dit Rachel. C'est vraiment joli, ici.

Pendant que Mme Vallée assiste à une conférence à l'hôtel du village, M. Vallée et les fillettes en profitent pour découvrir la campagne environnante.

— Et c'est encore mieux d'aider nos amies les fées, dit Karine. Mais il ne reste plus qu'un jour pour trouver le dernier porte-bonheur de Charlotte.

— C'est vrai. Maman fait sa grande présentation aujourd'hui, alors nous partirons cet après-midi.

Rachel fronce les sourcils et bondit du lit. Elle enfile des jeans foncés et un chandail rayé.

— J'espère qu'elle finira de bonne heure. Ce serait dommage qu'elle manque le festival de la Saint-Patrick au parc municipal, dit Karine.

Chaque année, Colombe-sur-Mer organise un grand festival pour célébrer ce jour de fête.

— Ça devrait être amusant, convient Rachel. J'ai hâte de voir les décorations et de faire les jeux.

— Mais d'abord, nous devons aider Charlotte, dit Karine.

— En fait, nous devons d'abord aller à la réserve naturelle avec mon père,

rappelle Rachel à son amie. Il veut faire une promenade guidée. Il cherche une fleur sauvage particulière, le Nombril-de-Vénus.

Karine rit en se brossant les cheveux.

— Ce n'est pas grave. De toute façon, on doit laisser la magie venir à nous.

Les fillettes descendent à la salle à manger de l'auberge où M. Vallée les attend. Il boit son café tout en regardant un livre sur les fleurs sauvages.

— Bonjour les filles, dit-il en souriant. Avez-vous faim?

— Oh oui! s'exclament-elles en chœur.

Karine entend son estomac gargouiller. Elle rêve de manger des crêpes aux bleuets depuis qu'elle est réveillée.

— Vous avez besoin d'un déjeuner copieux, dit M. Vallée. J'ai déjà commandé vos plats. Je voulais vous parler de notre journée bien remplie en attendant. J'ai tout prévu!

Rachel sent sa gorge se nouer en entendant les paroles de son père. Cela pourrait être un problème. Le dernier porte-bonheur de Charlotte est une pièce d'or qui garantit la réussite de tous les projets. Elle empêche aussi les problèmes de survenir à la dernière minute. Depuis que les gnomes du Bonhomme d'Hiver ont volé la pièce, rien ne va plus!

Le serveur arrive et place des bols fumants devant les deux fillettes. Karine

y jette un coup d'œil. De la soupe au homard? Pour le déjeuner? Elle en a la nausée.

— Merci, dit Rachel au serveur.

Elle a du mal à cacher sa déception. Elle voulait du pain doré, mais l'arrivée de la soupe prouve qu'elles doivent trouver la pièce d'or coûte que coûte. Et rapidement!

M. Vallée ne remarque rien.

— Mangez, dit-il. Nous aurons besoin

de beaucoup d'énergie pour trouver le Nombril-de-Vénus.

Après le déjeuner, Rachel prend Karine à part.

— Je suis très inquiète, murmure-t-elle. Pense à toutes les autres choses qui peuvent mal tourner. Nous devons trouver cette pièce!

— Je sais, acquiesce Karine. Manger de la soupe au homard pour le déjeuner, c'est horrible. J'ai peur de voir ce que ton père a prévu pour le dîner!

— Nous devons rentrer de la promenade le plus tôt possible, dit Rachel.

— Mais nous ne savons même pas où est la pièce, rappelle Karine à son amie. Elle

est peut-être dans la réserve naturelle.

— Tu as raison, dit Rachel. Espérons que Charlotte arrivera bientôt. Elle saura peut-être où chercher.

M. Vallée s'approche des fillettes. Il tient trois casques de vélo à la main.

— J'avais oublié que maman avait pris l'auto, mais nous pouvons aller jusqu'à la réserve naturelle en vélo.

— Ça prendra combien de temps pour y aller? demande Rachel.

— Pas longtemps, répond M. Vallée.

Ils mettent leurs sacs à dos, attachent leurs casques et sortent de l'auberge. Rachel est soulagée de voir trois vélos dans le support à vélos.

M. Vallée consulte sa montre.

— La promenade est à dix heures. Si nous arrivons en avance, j'aurai le temps de parler avec le guide.

Ils enfourchent leurs vélos et se mettent en route. Mais ils doivent bien vite s'arrêter.

— La route est fermée, dit Karine en montrant un panneau.

— Ce doit être à cause du festival, suppose M. Vallée. Nous devons prendre une autre route.

Rachel soupire. Est-ce qu'*un seul* de leurs plans se déroulera bien? Qu'arrivera-t-il lors de la grande présentation de sa

mère? Et où est Charlotte? Elle regarde Karine et voit que son amie est préoccupée elle aussi.

À la découverte des champignons

Après avoir parcouru des routes poussiérieuses et s'être trompés plusieurs fois de chemin, M. Vallée et les fillettes arrivent enfin à la réserve naturelle. L'endroit est magnifique! Ils voient un groupe de personnes.

— Nous arrivons juste à temps, dit M. Vallée. Je vais me dépêcher d'aller parler

au guide.

Rachel hoche la tête. Pendant que Karine et elle cadenassent leurs vélos, elles entendent quelqu'un frapper des mains.

— Bonjour tout le monde, dit un homme barbu aux cheveux châtains, vêtu d'une veste matelassée orange. Je m'appelle Louis et je serai votre guide.

Rachel regarde autour d'elle. Ils sont arrivés trop tard pour que M. Vallée ait la chance de parler au guide. Une autre chose qui ne va pas comme prévu!

— Approchez-vous, poursuit Louis. Nous allons partir à la découverte des champignons.

Plusieurs personnes dans le groupe protestent.

— Je pensais que c'était la promenade d'observation des oiseaux, dit une femme qui porte des jumelles autour du cou.

— Et moi, celle des roses sauvages, dit une autre femme en regardant une brochure et en secouant la tête.

— Je suis désolé, dit Louis. Il semble y avoir eu beaucoup de malentendus ces derniers temps, mais aujourd'hui, c'est la découverte des champignons. Ce sera amusant.

M. Vallée se tourne vers Rachel et Karine et leur dit :

— Je regrette, les filles. Un autre changement de programme, mais restons quand même. Je peux tout de même chercher le Nombril-de-Vénus durant cette promenade.

Karine met sa main sur sa bouche pour que M. Vallée ne la voie pas rire.

— Il aime vraiment la nature, dit-elle à Rachel.

— Moi aussi! lance une petite voix.

Rachel et Karine se retournent immédiatement.

— Charlotte! chuchotent-elles avec enthousiasme.

La fée s'empresse de se cacher dans les cheveux de Rachel.

— Sais-tu où est la pièce d'or? demande Rachel. Est-elle proche?

— Oh! les filles, répond Charlotte en fronçant les sourcils, je n'en ai aucune idée, mais nous devons la trouver rapidement. Tout se passe mal!

— Moins fort, s'il vous plaît, dit le guide à l'avant du groupe. Il ne faut pas faire peur aux oiseaux et aux animaux.

— Je ne pense pas qu'il s'adressait à nous, murmure Karine à Rachel et à Charlotte. Je crois qu'il parlait à ces garçons.

Rachel regarde la bande de garçons tapageurs à l'arrière du groupe. Ils tapent du pied et marmonnent. Tous portent un costume vert de lutin avec de grands souliers

noirs à boucle et des chapeaux melon qui dissimulent leur visage. Rachel se rend immédiatement compte que ce ne sont pas de simples garçons.

— Ce sont les gnomes! lance Charlotte à voix basse. Ils savent peut-être où est ma pièce chanceuse!

Karine et Rachel s'approchent des gnomes en espérant entendre leur discussion.

— Pourquoi ne cherchons-nous qu'une seule pièce d'or? dit un gnome dont le chapeau est orné d'une

fleur. Je veux un million de pièces d'or.

— Mais si nous trouvons la pièce d'or magique, tous les projets du Bonhomme d'Hiver se réaliseront, explique un autre gnome.

— Ouais, il sera super puissant et il régnera sur le Royaume des fées. Les fées seront ses servantes et il arrêtera de *nous* donner des ordres, ajoute un gnome au long nez.

Rachel et Karine reculent vivement.

— C'est horrible! s'exclame Karine. Nous ne pouvons pas les laisser s'emparer

de la pièce d'or!

— S'ils la trouvent, tout le Royaume des fées sera malchanceux, dit solennellement Charlotte. Nous devons les en empêcher!

— Ne t'inquiète pas, Charlotte, dit Rachel d'un ton rassurant. Nous avons trouvé les deux autres porte-bonheur. Nous trouverons la pièce aussi!

— Restons près des gnomes pour nous assurer qu'ils ne la trouvent pas, suggère Karine.

— C'est un bon plan, dit Charlotte.

Puis les trois amies frissonnent. Tous les plans ont très mal tourné jusqu'à présent à cause de la pièce d'or manquante. Il faut *absolument* que celui-ci réussisse!

Des gnomes sans gêne

Tout en suivant les gnomes, Rachel et Karine les observent. Ils n'écoutent pas le guide du tout; par contre, le reste des participants est très intéressé. Chaque fois que Louis découvre un groupe de champignons caché sous des feuilles, tout le monde pousse des exclamations.

À un moment donné, les gnomes se massent autour de quelque chose.

— Que regardent-ils? demande Karine.

Des bruits sourds proviennent du petit attroupement de gnomes.

— Excusez-moi! s'écrie Louis. Veuillez arrêter de jouer avec la boîte de dons.

Les gnomes s'éloignent immédiatement et les fillettes voient une boîte attachée à un poteau de bois. Une fente sur le dessus permet aux gens de faire des dons à la réserve naturelle.

— Les gnomes cherchaient la pièce d'or dans la boîte de dons destinés à la réserve naturelle, dit Rachel avec un petit rire. Ils semblent gênés.

— Ils devraient être gênés, insiste Charlotte. Cet argent ne leur appartient pas. La pièce d'or non plus.

Le groupe de promeneurs traverse les bois en s'arrêtant ici et là. Les fillettes ne lâchent pas les gnomes d'une semelle.

Tout à coup, l'un des gnomes s'arrête.

— Qu'est-ce que c'était? demande-t-il avec nervosité. J'ai vu quelque chose derrière cet arbre.

— Est-ce que c'était encore ce gars

agaçant tout vert? demande le gnome au long nez.

— *Nous*, nous sommes verts! s'exclame un autre gnome, les mains sur les hanches.

— Non, je veux dire celui qui nous a trompés et nous a volé les porte-bonheur, reprend le gnome au long nez. J'espère que ce n'était pas lui. Il me donne la chair de poule!

Rachel et Karine échangent un regard. Ont-ils vu le lutin dans les bois? A-t-il la pièce d'or?

— Charlotte, penses-tu que ta pièce d'or est proche de nous? demande Karine.

— Je ne sais pas, répond Charlotte. Je ne sens pas sa présence.

— Alors, continuons à chercher, dit Rachel.

Les promeneurs se dirigent vers un pré maintenant. Louis s'arrête près d'un petit cours d'eau.

— Voici le ruisseau de Colin, dit-il. Il porte le nom du lutin de Colombe-sur-Mer. C'est un petit gars espiègle. Il aide les gens du village depuis la nuit des temps.

— Avez-vous entendu? murmure Charlotte à ses amies. Il vient de dire que le lutin *aide* les gens.

— Penses-tu qu'il cherche à nous aider? demande Karine.

— Peut-être, répond Rachel. Nous en aurions bien besoin.

— Qu'est-ce que c'est? demande M. Vallée à Louis. Il montre un grand rocher, aussi haut que lui, qui se dresse au milieu du ruisseau.

— C'est le rocher des souhaits, explique le guide. La légende dit que ce rocher exauce les souhaits. Si vous êtes capable de le toucher sans vous mouiller, le souhait que vous avez formulé se réalisera.

Il cligne de l'œil à ces mots.

Karine regarde le rocher. Il se trouve à l'endroit où le ruisseau est le plus large.

— Je voudrais faire un vœu, lance une voix bourrue. Je vais aller le toucher.

— Oh non! dit Karine à voix basse. C'est un gnome.

— Ne t'inquiète pas, murmure Charlotte. Son souhait ne se réalisera pas.

Le gnome est sur la rive et tend la main vers le rocher. Karine retient son souffle tandis qu'il se penche de plus en plus... et tombe à l'eau.

— Oh! Elle est froide, grommelle le gnome. Aidez-moi à sortir!

— Je savais que son vœu ne se réaliserait pas, dit Charlotte. Mais le mien sera exaucé!

Pendant que tout le monde regarde le gnome trempé, la petite fée volette vers le rocher.

Rachel et Karine croisent les doigts. Quand Charlotte touche le rocher, une gerbe d'étincelles jaillit. La fée sourit et revient vite vers les fillettes.

— Que s'est-il passé? demande Karine à Charlotte.

— Est-ce que ton vœu s'est réalisé? s'enquiert Rachel.

— On verra bien, murmure Charlotte. J'ai demandé un signe. Un signe de Colin.

La magie de l'arc-en-ciel

Rachel et Karine courent pour rattraper le groupe. Elles regardent autour d'elles, mais ne voient aucun signe... jusqu'à ce qu'elles lèvent la tête.

— Oh! s'exclame Rachel. Quel arc-en-ciel magnifique!

— On dirait qu'il s'étire jusqu'au village, ajoute Karine.

— C'est ça! lance Charlotte depuis l'épaule de Rachel. C'est le signe! Il faut le suivre.

— Charlotte, où est-ce que l'arc-en-ciel nous mènera? demande Rachel.

— Il devrait nous mener tout droit à la pièce d'or, dit Charlotte en souriant.

Les fillettes réalisent trop tard que les gnomes sont juste derrière elles.

— Ce sont encore ces chipies! s'écrie l'un des gnomes. Et la fée est avec elles!

— Je viens de les entendre dire que la pièce n'est pas ici, dit un gnome au nez crochu. Elle est au bout de l'arc-en-ciel!

— Nous devons la récupérer! s'écrient les gnomes en détalant à toute allure sur le sentier.

Karine et Rachel échangent un regard catastrophé.

— Nous devons les suivre! s'écrie Karine.

Rachel se précipite vers son père et le saisit par la main.

— Karine aimerait retourner au village, dit-elle. Elle voudrait vraiment suivre cet arc-en-ciel.

C'est la vérité, mais bien sûr elle ne mentionne ni les gnomes ni Charlotte ni la pièce d'or!

— Eh bien, Louis vient de finir ses explications et la poursuite d'un arc-en-ciel semble amusante, répond M. Vallée. Il se laisse entraîner par Rachel en direction des vélos.

— Vite! lance Karine en mettant son casque.

Peu de temps après, tous trois foncent sur le sentier.

Rachel demande à son père si elle peut prendre de l'avance avec Karine, puis les deux fillettes prennent la tête. Elles n'ont pas encore repéré les gnomes.

— Comment allons-nous les rattraper?

demande nerveusement Karine.

— Facile! s'écrie Charlotte.

Elle s'envole de l'épaule de Rachel et regarde derrière elles.

— Le champ est libre, lance-t-elle.

Elle agite sa baguette et un nuage d'étincelles tourbillonne autour des vélos. Les fillettes et leurs vélos commencent à rapetisser.

Puis les vélos décollent... avec Rachel et Karine dessus!

— Nous irons beaucoup plus vite en volant! déclare Charlotte.

Du haut du ciel, les fillettes voient le sentier et la cime des arbres. Au loin, elles distinguent la girouette de l'hôtel de ville

de Colombe-sur-Mer.

— Regardez! s'exclame Karine. Nous sommes juste sous l'arc-en-ciel.

— Et voici mon père, dit Rachel en regardant derrière elle.

— On est presque au village, dit Charlotte.

L'arc-en-ciel semble mener jusqu'à la place publique.

— Nous devrions atterrir dans les bois, suggère Charlotte. Ce serait plus prudent.

Les trois amies volent moins haut. Au moment où elles arrivent au niveau des arbres, Karine s'écrie en gémissant :

— Oh non! Les gnomes sont déjà là!

Charlotte redonne à Karine et à Rachel leur taille habituelle. Quand les trois amies sortent des bois, le soleil est caché par des nuages.

— Nous avons besoin du soleil pour

savoir où l'arc-en-ciel finit, dit Karine.

— On dirait que le festival ne débutera pas à temps, fait remarquer Rachel en regardant le parc municipal.

Les stands de jeux ne sont pas encore prêts et le toit de la grande tente gît sur le sol.

Charlotte jette un coup d'œil hors de la poche de Karine. Les trois amies observent les alentours. Elles voient les dégâts dus

à la disparition de la pièce d'or, mais elles ne voient pas les gnomes.

— Quel désastre! s'exclame Karine.

— Rien ne se passe comme prévu, se plaint un homme qui essaie d'accrocher une grande banderole de la Saint-Patrick. Je ne peux pas trouver les bons outils.

— Si seulement on pouvait les aider, dit Karine.

—Vous pouvez les aider, assure Charlotte. Il vous suffit de trouver la pièce.

À ces mots, le soleil sort de derrière les nuages et l'arc-en-ciel brille de nouveau dans le ciel.

—Vite, nous devons trouver l'endroit où il touche le sol! s'écrie Rachel.

Un vœu exaucé

Les yeux levés vers le ciel, Karine et Rachel se mettent à courir. Elles suivent l'arche multicolore. Au bout de l'arc-en-ciel, elles trouvent...

— Un puits chanceux! s'exclame Rachel. Ce doit être une activité du festival.

— Oui, dit un homme qui vend des billets. Aujourd'hui seulement, achetez un

sou chanceux et jetez-le dans le puits. Si la chance des Irlandais est avec vous, votre vœu se réalisera!

Les fillettes fouillent rapidement dans leurs poches. Elles ont juste assez d'argent pour acheter un sou chanceux. Mais il y a au moins dix personnes qui attendent avant elles! Il y a aussi des passants qui regardent. Certains sont déguisés en lutins. Oh non! Ce sont les gnomes!

— Il faut que nous croyions en la magie du puits chanceux, dit Karine.

— Si nous faisons le bon vœu, il sera exaucé, ajoute Rachel.

— Je croise les doigts pour vous porter bonheur, dit Charlotte depuis la poche de Karine.

Leur tour arrive enfin.

— Fais le vœu, dit Karine à Rachel. Je surveillerai les gnomes.

Rachel ferme les yeux, fait le vœu et jette le sou dans le puits de pierre. Peu de temps après, elle entend l'eau qui clapote.

Soudain, une pièce d'or étincelante jaillit du puits.

— Regardez! s'écrie Rachel.

— Attrapez-la! hurlent les gnomes.

Une énorme main verte se tend et heurte la pièce, l'envoyant encore plus haut dans les airs.

Karine étire le bras le plus haut possible et heurte de nombreux coudes verts et noueux. Elle est seule contre sept gnomes! Quand la pièce d'or commence à redescendre, elle retient son souffle.

Un gnome aux

longs doigts est sur le point de l'attraper, mais Charlotte surgit!

La fée vole au-dessus des mains tendues et saisit la pièce d'or. Hourra! La pièce reprend immédiatement sa taille du Royaume des fées. Charlotte envoie un baiser aux fillettes et disparaît dans un tourbillon d'étincelles.

Karine et Rachel échangent un sourire. *Ouf!*

Les gnomes détalent en râlant.

— On dirait que les choses se déroulent enfin comme prévu, plaisante Karine.

— Hé les filles! lance M. Vallée qui arrive à vélo. Le festival a belle allure.

Il admire les stands de jeux et la

banderole qui est maintenant parfaitement accrochée sur le pavillon. Le toit de la tente n'est plus étalé sur le sol.

— La présentation de ta mère va bientôt commencer. Elle nous rejoindra dès qu'elle aura fini.

Rachel pousse un gros soupir de soulagement.

— Je vais retourner dans le bois, annonce M. Vallée. Je crois avoir vu le Nombril-de-Vénus en passant.

— Quelle chance! dit Rachel avec un petit rire.

— Oui, en effet, convient M. Vallée.

Après son départ, les fillettes se dirigent vers un stand de jeu orné d'immenses trèfles. Il s'agit de pêche à la ligne, mais

au lieu de poissons, il faut attraper de minuscules lutins juchés sur des bateaux qui flottent sur le ruisseau serpentant dans le parc.

— On dirait le ruisseau de Colin, dit Rachel. Il y a même un gros rocher des souhaits près du bois.

Une femme sympathique au visage couvert de taches de rousseur et aux cheveux roux tend des cannes à pêche aux deux fillettes.

— Si vous attrapez un lutin, vous gagnez un prix, explique-t-elle.

— Ces jeux sont toujours plus difficiles qu'il n'y paraît, dit Karine en essayant d'attraper un lutin avec sa canne.

— Et c'est presque impossible d'attraper un vrai lutin, ajoute Rachel en plaçant sa canne juste au-dessus des minuscules bateaux.

Puis, comme par magie, deux lutins pendent au bout de leurs cannes!

— Oh là là! vous devez être les deux filles les plus chanceuses du festival, s'exclame la femme. J'ai un prix parfait pour vous.

Elle tend à chaque fillette une petite boîte en forme de trèfle. Que peut-il bien y avoir à l'intérieur?

— Merci, disent Rachel et Karine en s'éloignant.

Elles vont jusqu'à un banc et s'assoient

pour ouvrir leur prix.

— Oh! C'est magnifique! dit Rachel en soulevant un bracelet délicat.

Cinq breloques y sont accrochées : un chapeau melon, un trèfle, une pièce d'or, un arc-en-ciel et un lutin.

— Il y a un mot dans la boîte, ajoute Karine. *Je vous souhaite toute la chance possible au monde. Charlotte*

Rachel regarde les breloques de plus près.

— Je me demande si ce lutin est Colin, dit-elle.

— Je me demande si Colin nous regarde

en ce moment, dit Karine.

Rachel glousse.

— Je pense que Colin, le lutin de Colombe-sur-Mer, est très malin, admet-elle. Nous ne saurons peut-être jamais la vérité à son sujet.

— Oui, mais nous avons eu la chance de bénéficier de son aide, ajoute Karine avec un clin d'œil.

— Nous sommes vraiment les filles les plus chanceuses au monde, dit Rachel. Nous avons la chance d'être de très bonnes amies et d'être aussi amies avec les fées!

L'ARC-EN-CIEL magique
ÉDITIONS SPÉCIALES

LE ROYAUME DES FÉES N'EST JAMAIS TRÈS LOIN!

Dans la même collection

Déjà parus :

LES FÉES DES PIERRES PRÉCIEUSES

India, la fée des pierres de lunes
Scarlett, la fée des rubis
Émilie, la fée des émeraudes
Chloé, la fée des topazes
Annie, la fée des améthystes
Sophie la fée des saphirs
Lucie, la fée des diamants

LES FÉES DES JOURS DE LA SEMAINE

Lina, la fée du lundi
Mia, la fée du mardi
Maude, la fée du mercredi
Julia, la fée du jeudi
Valérie, la fée du vendredi
Suzie, la fée du samedi
Daphné, la fée du dimanche

LES FÉES DES ANIMAUX

Kim, la fée des chatons
Bella, la fée des lapins
Gabi, la fée des cochons d'Inde
Laura, la fée des chiots
Hélène, la fée des hamsters
Millie, la fée des poissons rouges
Patricia, la fée des poneys

LES FÉES DES FLEURS

Téa, la fée des tulipes
Claire, la fée des coquelicots
Noémie, la fée des nénuphars
Talia, la fée des tournesols
Olivia, la fée des orchidées
Mélanie, la fée des marguerites
Rébecca, la fée des roses

LES FÉES DE LA DANSE

Brigitte, la fée du ballet
Danika, la fée du disco
Roxanne, la fée du rock'n'roll
Catou, la fée de la danse à claquettes
Jasmine, la fée du jazz
Sarah, la fée de la salsa
Gloria, la fée de la danse sur glace

À paraître :

LES FÉES DES SPORTS

Élise, la fée de l'équitation
Sabrina, la fée du soccer
Pénélope, la fée du patin
Béa, la fée du basketball
Nathalie, la fée de la natation
Tiffany, la fée du tennis
Gisèle, la fée de la gymnastique